Puedes consultar nuestro catálogo en www.picarona.net

¡Hay una plaga en el huerto!
Jan Thomas

1.ª edición: mayo de 2021

Título original: *There's a Pest in the Garden!*

Traducción: *Raquel Mosquera*
Maquetación: *El Taller del Llibre, S. L.*
Corrección: *Sara Moreno*

© 2018, Jan Thomas
Publicado por acuerdo con Houghton Mifflin Harcourt
Publishing Company
(Reservados todos los derechos)

© 2021, Ediciones Obelisco, S. L.
www.edicionesobelisco.com
(Reservados los derechos para la lengua española)

Edita: Picarona, sello infantil de Ediciones Obelisco, S. L.
Collita, 23-25. Pol. Ind. Molí de la Bastida
08191 Rubí - Barcelona - España
Tel. 93 309 85 25
E-mail: picarona@picarona.net

ISBN: 978-84-9145-458-8
Depósito Legal: B-6.310-2021

Impreso en ANMAN, Gràfiques del Vallès, S. L.
C/ Llobateres, 16-18, Tallers 7 - Nau 10, Polígon Industrial Santiga
08210 - Barberà del Vallès - Barcelona

Printed in Spain

Para SSM

¡Hay una PLAGA en el huerto!

JAN THOMAS

JUDÍAS

MAÍZ

Picarona

ÑAM
ÑAM

JUDÍAS

MAÍZ

GUISANTES

¡Hay una PLAGA en el huerto!

¡Se ha comido TODAS las judías!

¡Esa **PLAGA** sigue en el huerto y se ha comido **TODO** el **maíz**!

GLUP

Esa **PLAGA** sigue en el huerto y se ha comido **TODOS** los guisantes.

GLUP

MAÍZ

GUISANTES

NABOS

¡Prepara a tu hijo
para leer en tres
simples pasos!

1 **YO LEO**	Léele el libro a tu hijo.
2 **NOSOTROS LEEMOS**	Leed el libro juntos.
3 **TÚ LEES**	Anima a tu hijo a leerse el libro una y otra vez.